O CAMINHO DA ORIENTAÇÃO ESPIRITUAL

A Iluminação do Coração

HELERSON ALVES NOGUEIRA

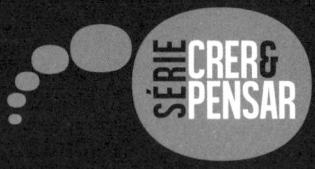

O CAMINHO DA ORIENTAÇÃO ESPIRITUAL

A Iluminação do Coração

HELERSON ALVES NOGUEIRA

Publicado Originalmente por
100% Cristão Edições e Produções
Todos os direitos reservados e protegidos pela Lei n° 9.610, de 19/02/1998.

É expressamente proibida a reprodução total ou parcial deste livro, por quaisquer meios (eletrônicos, mecânicos, fotográficos, gravação e outros), sem prévia autorização por escrito da editora.
A VERSÃO DA BÍBLIA UTILIZADA NESSA OBRA
É A ALMEIDA REVISTA E CORRIGIDA,
SALVO RESSALVAS DO AUTOR.

Publicado no Brasil por 100% Cristão Edições e Produções
www.editora100cristao.com.br
Capa e projeto gráfico: Jônatas Jacob

Diretor Executivo: Sinval Filho
Direção Administrativa: Wilson Pereira Jr.
Revisão: Helena Barradas Sá
Edição 1, 2014
Impresso no Brasil por Impressul

Dados Internacionais de Catalogação na Publicação (CIP)

Nogueira, Helerson Alves

    O caminho da orientação espiritual: A Iluminação do Coração (Série Crer & Pensar) / Helerson Alves Nogueira; São Paulo:
Editora 100% Cristão, 2014.
ISBN 978856700237-4
1. Espiritualidade 2. Líderes e Pastores. 3. Mentoreamento 4. Vida Cristã

                                                                  CDD 284.7

DEDICATÓRIA

"Aleluia! Rendei graças ao Senhor, porque ele é bom; porque a sua misericórdia dura para sempre" (Salmo 106.1)

Nossa gratidão e louvor a Deus, que nos tem proporcionado uma vida com propósito e esperança à luz do evangelho de Cristo. Em especial, nosso reconhecimento e alegria a todos os familiares que sempre caminharam conosco neste período de preparação do material aqui publicado.

À minha querida esposa Queila, que me acompanha, incentiva, aconselha e partilha comigo os sonhos e desafios ministeriais há 22 anos. A ela, o meu carinho, admiração e gratidão.

Aos nossos filhos André Estevão e Ana Lívia, que são uma fonte de imensa alegria e nos motivam a caminhar firme em nossa jornada como família. A eles, o nosso amor e carinhoso abraço. É muito bom ter vocês como parceiros de sonhos!

Aos meus pais e sogros, que durante suas vidas continuam nos inspirando a combater o bom combate e nos deixam um legado de fidelidade e frutos vigoros no ministério pastoral!

Ao Rev. Josadak Lima, a nossa gratidão pelas sugestões e correções na elaboração do texto. Uma gratidão imensa pela partilha e mentoria.

Aos Revmos. bispos José Carlos Peres, Nelson Luis Campos Leite e Adriel Maia pelas preciosas orientações e dicas pastorais ao longo de nossa caminhada ministerial na senda do pastoreio mútuo.

Aos pastores e pastoras que nos últimos dez anos compartilham conosco da visão de pastoreio e cuidado mútuo, por meio do Ministério Oásis Renovo de Pastores, e ao companheirismo do Movimento de Pastoreio de Pastores e Pastoras da Igreja Metodista do Brasil na 3ª Região Eclesiástica. Obrigado pelo aprendizado e encorajamento!

Nosso afeto e gratidão a Igreja Metodista em Lorena, onde nos últimos 11 anos redescobri o sentido bíblico do pastoreio mútuo e da liderança comprometida com a radicalidade do discipulado cristão. O Senhor saberá recompensá-los!

A todos os parceiros de sonhos que permitiram viabilizar este projeto, a nossa palavra de reconhecimento e carinho pastoral. Deus é bom!

Pastor Helerson Alves Nogueira

ÍNDICE

APRESENTAÇÃO.. 9

PREFÁCIO... 11

CAPÍTULO 1 – QUEREMOS LUZ!...................................... 13

CAPÍTULO 2 – O PODER DA ILUMINAÇÃO! 21

CAPÍTULO 3 – LANÇANDO LUZ NAS ENCRUZILHADAS DA VIDA .. 35

CAPÍTULO 4 – ILUMINAÇÃO: PROFUNDIDADE E COERÊNCIA..... 51

APRESENTAÇÃO

Toda obra tem uma história que a antecede, e não é diferente com este livro que o leitor tem mãos, do meu colega e amigo, pastor Helerson, que aborda com praticidade o instigante tema da iluminação do coração como caminho da orientação espiritual.

Na verdade, este livro nasceu de uma grande inquietação do coração de Helerson, em refletir acerca da maravilhosa obra do Espírito de Deus, que ilumina a mente e o coração daqueles que crêem em Jesus Cristo.

Após ler esta obra, estou convicto de que só se pode compreender "iluminação" na vida do homem a partir do Espírito Santo. Nesse sentido, o autor toma a figura do *menoráh*, e expõe com clareza e precisão sobre a beleza do princípio da *iluminação do coração*, como forma de levar a vontade humana a confiar em Jesus Cristo e a obedecê-lo.

O ponto alto do texto é a ideia de que a *iluminação* é tanto uma questão de fé, como uma questão de entendimento espiritual. Nesta perspectiva, o objetivo primeiro da iluminação do Espírito é nos levar para além de mera percepção da mente, e sim à espiritualidade genuína.

Boa leitura!

Josadak Lima
Pastor Metodista na 6ª. Região Eclesiástica

PREFÁCIO

Em primeiro lugar, falo a respeito do autor, Hélerson Alves Nogueira, pastor da Igreja Metodista, há onze anos pastoreando a igreja em Lorena, no interior de São Paulo. Que Deus continue abençoando a sua vida e lhe dando discernimento para o exercício do pastorado. Ele vem desenvolvendo um ótimo trabalho ministerial, ao lado de sua família que também partilha os mesmos valores e princípios do caminho da fé cristã. Entendo que isso o qualifica para escrever sobre a fé que professa.

Em segundo lugar, falo sobre a obra de sua autoria. Ao ler o texto, é nítido o tom pastoral e o imenso trabalho de pesquisa feito pelo autor para fundamentar o primeiro volume da série. Nessa direção, destaco três aspectos:

1) a fé que pensa e a razão que crê, como meios práticos para o exercício da espiritualidade, expressando o modo como elas se completam e podem andar harmoniosamente juntas;

2) mensagem pregada é mensagem vivenciada. Sempre ouvi dizer que pregação sem vida não impacta ninguém. O autor propõe uma vivência comprometida em observar a Palavra, nos imperativos de fidelidade a Deus;

3) a fé e a razão centradas no amor. O amor é a chave de leitura para a Bíblia e para entender os planos de Deus voltados a existência humana.

Espero que você leitor se delicie em cada página, e seja ricamente instruído a exercitar uma fé fundamentada na reflexão sadia da razão.

José Carlos Peres

Bispo da Igreja Metodista do Brasil na 3ª. Região Eclesiástica

Capítulo 1

QUEREMOS LUZ!

"... Ora, que há de comum entre Atenas e Jerusalém, entre a Academia e a Igreja, entre os hereges e os cristãos? Nossa formação nos vem do pórtico de Salomão".

(A sabedoria deste século, Tertuliano, Bettenson, p.32).

"Temos aprendido que Cristo é o primogênito do Pai, e acabamos de explicar que ele é a razão (o Verbo), da qual participa toda a razão humana, e aqueles, pois, que vivem de conformidade com a razão são cristãos...".

(A luz que ilumina todo homem, Justino, Bettenson, p. 31).

A perigosa jornada do homem pelo mundo "escuro" requer iluminação. O Salmo 119.105 é nossa regra de ouro para, com seus dois elementos chaves, nos indicar o processo sobre como podemos ser iluminados pela Palavra de Deus:

Fala dos "pés" com que andamos;

Fala do "caminho" em que andamos.

Em especial, fomos despertados para a imaginação aguçada no modo como o livro do Êxodo nos apresenta o misterioso objeto capaz de iluminar a tenda da congregação: a *menoráh*.

"Farás também um candelabro de ouro puro; de ouro batido se fará este candelabro; o seu pedestal, a sua hástea, os seus cálices, as suas maçanetas e as suas flores formarão com ele uma só peça. Seis hásteas sairão

dos seus lados: três de um lado e três do outro. Numa hástea, haverá três cálices com formato de amêndoas, uma maçaneta e uma flor; e três cálices, com formato de amêndoas na outra hástea, uma maçaneta e uma flor; assim serão as seis hásteas que saem do candelabro. Mas no candelabro haverá quatro cálices com formato de amêndoas, com suas maçanetas e com suas flores. Haverá uma maçaneta sob duas hásteas que saem dele; e ainda mais uma maçaneta sob duas outras hásteas que saem dele; assim se fará com as seis hásteas que saem do candelabro. As suas maçanetas e as suas hásteas serão do mesmo; tudo será de uma só peça, obra batida de ouro puro. Também lhe farás sete lâmpadas, as quais se acenderão para alumiar defronte dele. As suas espevitadeiras e os seus apagadores serão de ouro puro. De um talento de ouro puro se fará o candelabro com todos estes utensílios. Vê, pois, que tudo faças segundo o modelo que te foi mostrado no monte" (Êx 25. 31-40, ARA)

Ao lado da redescoberta deste importante elemento litúrgico, nossas leituras e reflexões nos conduziram a surpreendente riqueza de detalhes das lâmpadas e, assim, nos deixamos conduzir por outra seqüência de elementos similares em relação ao padrão ali estabelecido pelo escritor bíblico. Nos damos conta, por exemplo, de que a seqüência simbólica do número "sete", tanto no Antigo como no Novo Testamento, servia a um propósito muito próprio e peculiar da jornada do povo de Deus em meio a situações de crise. Diante de lutas e profundos questionamentos existenciais, momentos delicados de transição, onde a identidade e missão como povo de Deus foi colocada em dúvida, sempre houve uma caminhada de volta aos fundamentos, ao carisma primitivo originário da fé de um povo peregrino. Tais detalhes são imprescindíveis na decisiva trajetória vocacional da nação escolhida por Deus, bem como da comunidade de fé do primeiro século da era cristã. Em especial, o primeiro conjunto de sete, associado ao texto da *menoráh* judaica, aponta para o Renovo anunciado por Isaías 11 em suas sete características e atributos do Espírito. Eles conferem graça e verdade ao governo messiânico a ser inaugurado por Jesus, e reverberam na radicalidade do seguimento como estilo de vida.

A jornada cristã traz consigo a inescapável busca por iluminação e clareza, enquanto enseja o imperativo da caminhada como metáfora animadora do seguimento a Cristo. Aquele que segue, sempre o faz na esperança de encontrar compreensão equilibrada do papel da fé e da razão na vivência diária da fé em Jesus. Tal postulado não poderia ficar em segundo plano nesta reflexão sobre a busca da iluminação na longa estrada da carreira cristã, ou ainda, ser encarada como um assunto pouco prático, discussão teórica sem relevância para o cotidiano do discipulado cristão. Ao contrário, nos recusamos a aceitar esta condição como argumento plausível justamente por perceber o quão desgastante e espinhosa é a estrada da alienação e da covardia existencial.

A perspectiva de uma piedade ilustrada é uma das formas que entendemos ser de vital importância para alcançarmos êxito nesta tarefa de encontrar algumas pistas que nos auxiliem na tarefa perene de encontrar iluminação, a fim de nos manter sóbrios e saudáveis enquanto servimos pessoas que anelam servir com sabedoria, graça, prudência e saúde espiritual. Portanto, no horizonte último das possibilidades de uma vida plena e abundante, o conhecimento propiciado pela luz de uma razão que crê e da luminosidade de uma fé pensante são imprescindíveis como caminho da decisão existencial. Uma não exclui a outra: antes se complementam e se corrigem mutuamente.

Como já recordava Stanley Jones, é o Espírito Santo quem nos conduz a responder satisfatoriamente as exigências da verdade objetiva e da paz interior promovida pela consolação do Espírito. Não há consolo na mentira, na indecisão existencial, na espiritualização exagerada e no misticismo traduzido em práticas de "espiritualização" do ambiente ou da mente. Não há rota de fuga. Frente aos conflitos da vida diária, que exigem respostas francas e honestas por parte daquele que diz crer em Jesus e vocacionado a ser luz do mundo, não há como escapar: é preciso acender a lâmpada!

Na verdade, a "lâmpada" sempre será acesa por aquele que crê de um modo ou de outro: seja em nome da honestidade intelectual, ou ainda em nome da busca de sentido último na existência marcada pela angustiante realidade da própria condição de se existir no mundo; uma condição que só pode ser plenamente compreendida pelo preenchimento sublime da ação do Espírito Santo testificando com o nosso espírito. Queiramos ou não, a "lâmpada" sempre estará conosco, acendê-la não é uma questão de escolha, mas uma questão de honestidade existencial, uma questão de vida ou morte... uma questão de fé ou de condição cristã!

Neste processo, para nos ajudar a acender a "lâmpada", faremos menção de alguns textos previamente escolhidos em busca de auxílio a fim de ilustrar o sentido e propósito da busca por iluminação e clareza. O objetivo dos textos também é provocar no leitor o desafio da imaginação e não apenas da reflexão. Cada trecho escolhido fornece uma pincelada do drama da busca de iluminação nas horas cruciais da vida de um homem e de uma nção.

Um destes textos fundamentais, como já mencionamos, é o texto de Isaías 11.2, onde há de se destacar o perfil da investidura de autoridade, liderança e governo a ser inaugurado pelo Messias esperado em Israel. Em linhas gerais, pretendemos relacionar os atributos ali descritos por Isaías com as dimensões da iluminação indicadas na confecção da *menoráh* em seu papel de iluminar a tenda da congregação, por meio das sete lâmpadas. Mais uma vez, reforçamos o convite a imaginação sem perder de vista uma apreciação adequada de cada contexto teológico no âmbito geral da linha de raciocínio apresentada nesta obra. No tocante aos atributos do governo iluminado do Messias, revelados a nós em Isaías 11.2, faremos uma abordagem mais ampla e profunda em outro texto. Nesta obra, nos concentraremos em apontar alguns breves aspectos desta luminosidade bendita, que norteou a caminhada e peregrinação de Israel.

Num segundo momento, sugerimos algumas importantes lições para uma compreensão mais crítica da nossa identidade como portadores de luz, e de como esta realidade nos afeta diretamente em nosso testemunho e missão como igreja do Senhor Jesus. Desta forma, uma das tarefas importantes da igreja de Cristo é ajudar as pessoas a reconhecer esta realidade da luz interior. Nas palavras de Baez Camargo, libertar as pessoas da escuridão de uma piedade meramente entusiasta ou entusiasmante como fim último, mas auxiliá-las no desenvolvimento de uma piedade ilustrada, onde a razão que crê não se ofende no encontro com a fé que pensa.

A Inquisição processou a Galileu porque afirmava que a terra se move em torno do sol. E o obrigava a retratar-se uma e outra vez, já que, segundo a tradição, repetia, após cada retratação: "E por si move" ("E não obstante, se move"). É que naquele tempo a Igreja Católica Romana havia identificado, sem direito algum, a fé cristã e a doutrina bíblica, com uma teoria científica particular, a de Ptolomeu. Por isso condenou a Copérnico, cujas teorias sustentava Galileu, como um herege e blasfemador. Também Lutero condenava a Copérnico nos seguintes termos: "O povo tem dado ouvido a um astrônomo presunçoso que quis demonstrar que a terra é que gira, e não os céus nem o firmamento, o sol e a lua. Todo aquele que deseja parecer inteligente tem que inventar algum sistema novo que, entre todos os sistemas, é por suposto, o melhor. Este tonto quer transformar toda a ciência da astronomia, mas as Sagradas Escrituras nos dizem que Josué mandou ao sol e não a terra, que parasse". (1) Seis anos depois de morrer Copérnico, outro reformador, Melancton, publicou uns "Elementos de Física" em que assentava: "Os olhos são testemunhas de que os céus giram no decurso de vinte e quatro horas. Mas certos homens, por inclinação para novidades ou por um alarde de ingenuidade, têm dado por acertado que é a terra que se move". (Ibid) Com razão dizia Erasmo: "Se a

Igreja se coloca em oposição ao saber, faz do cristianismo um sinônimo de ignorância".[1]

Somos o que somos em razão das decisões que tomamos e da luz que acendemos no caminho. A história vai mostrar (como já tem feito) os equívocos e acertos da igreja e daqueles que se dizem seguidores do Caminho. Nossos acertos e equívocos não serão tratados com desdém, ao contrário, farão parte do longo rol de anedotas ou da linda saga de esplendor sem fim de um povo peregrino que atende pelo nome do Senhor Jesus.

Até mesmo não tomar uma decisão já é uma decisão que nos afeta e, provavelmente, afetará e incidirá resultados inesperados em outros ao nosso redor. Na relação entre a piedade e a paixão de um lado, e a objetividade e a racionalidade de outro; encontramos duas faces de uma mesma moeda que não podem ser separadas. É cara e coroa. Não há como permanecer neutro, não existem rotas alternativas para decidirmos por uma única via, é uma questão última de ser ou não ser, que mais cedo ou mais tarde nos atinge de modo implacável. É nesse prisma da tensão criativa entre reflexão e paixão que abordaremos o tema da busca de luminosidade para o caminho.

Em nossa própria busca, num longo processo, ainda em construção, de uma vida de piedade sem abrir mão da reflexão honesta sobre as principais decisões da vida e do serviço cristão, é que apresentamos alguns aspectos que julgamos ser úteis na difícil tarefa de encontrar e manter o equilíbrio vital entre a experiência e a doutrina, a subjetividade e objetividade, a paixão e a razão na busca de excelência ministerial, familiar, pessoal e intelectual. Em particular, sempre nos causou certo espanto a dificuldade no modo como o assunto é, às vezes, ventilado e conduzido em ambientes informais e até mesmo no ambiente mais exigente da vida ministerial e no ambiente acadêmico. No campo da reflexão sobre as possíveis relações

---

[1] GONZALO Báez Camargo. Gênio e Espírito do Metodismo Wesleyano. São Paulo: Imprensa Metodista, 1986, p. 20

entre a fé a e razão, encontramos diluídas as mais possíveis correntes e posturas no cenário da igreja evangélica brasileira. As razões para isso? Bem, poderíamos apresentar uma imensa lista para tentar justificar o modo como nos comportamos tão heterodoxalmente no amplo espectro do campo teológico e das práticas ministeriais.

No dia a dia da igreja fica evidente que ainda há algumas barreiras para a compreensão deste tema. Pois, as águas que brotam do seminário, da faculdade teológica, desaguam nos corações sedentos pela verdade e, posteriormente, parecem empoçar na vida de comunidades e candidatos ao ministério público da pregação do evangelho e do cuidado pastoral de pessoas também sedentas pela verdade – e que buscam um sentido de vida e propósito.

A relação nem sempre compreendida entre a fé e a razão, e o papel da teologia no contexto da vida cristã e na própria função formativa dos futuros pastores(as) em suas mais variadas demandas, nem sempre foi um tema popular e palatável entre aqueles que servem o rebanho de Deus. Essa situação tem resultado em procrastinação e uma postura de insegurança nos momentos mais críticos, onde decisões cruciais precisam ser tomadas e colocadas em prática como estilo de vida.

Não sabemos ao certo qual a razão desta situação, mas o fato do permanente isolamento e da solidão ministerial de certos servos e servas de Deus, reside exatamente nesta dificuldade de expressar os terríveis dramas da alma causados, em parte, por uma má relação entre o papel da fé e da razão na própria vida do homem e da mulher de Deus que abraçou o santo ministério, acreditando piamente na ausência de questionamentos mais profundos ao longo da caminhada ministerial – ou mesmo "empurrando este assunto com a barriga" e até "espiritualizando" aquilo que exige um grau de responsabilidade espiritual, que se expresse no caráter racional da decisão moderna.

Em nossa jornada na busca por referenciais seguros, podemos ser seduzidos pela falsa voz interior que nos convida ao anonimato e ao silêncio da imersão ininterrupta na crise, como sinônimo de vocação genuína. Qualquer sentimento ou expressão que revele algum tipo de desconforto ou dificuldade é imediatamente associado a idéia de incompetência ou falta de confiança em Deus e na Sua palavra. Será isso verdade? É assim que viveram as pessoas chamadas e escolhidas por Deus para servir o Seu povo?

Invariavelmente, através das leituras de textos bíblicos e, é claro, nas conversas proveitosas com pastores, educadores, docentes, empreendedores, donas de casa, etc., nos deparamos com a necessidade de revisitar um conjunto de narrativas bíblicas para nos ajudar a entender tudo isso e a enfrentar o drama pessoal com mais coragem e seriedade. Com temor e tremor diante de Deus e de Sua Palavra, decidimos falar abertamente sobre este tema delicado nas linhas que seguem.

CAPÍTULO 2

O PODER DA ILUMINAÇÃO!

Estamos tratando a respeito de diferentes aspectos ou dimensões da vida cristã, a partir da ênfase encontrada na iluminação divina como víés principal da experiência racional da fé cristã, e como ponto de partida para as decisões importantes da vida. Nosso intuito é construir uma compreensão da espiritualidade cristã enquanto um modo de vida, um jeito de ser, como algo que diz respeito à vida em sua totalidade e complexidade e, ainda, como algo que nos compromete radicalmente com Deus e com o outro.

O propósito aqui é ajudá-lo a acolher o Dom maior que Deus nos deu em Jesus Cristo (seu Espírito Santo ou dinamismo vital) e fazê-lo frutificar em sua vida, produzindo os mesmos frutos da vida de Jesus: amor, compaixão, misericórdia, perdão, justiça, etc. Essa é a única herança que o Mestre nos deixou, essa é a nossa vocação fundamental e essa é a única riqueza que temos a oferecer ao mundo. Por estes motivos, podemos afirmar a importância dessa espiritualidade cristã:

Em primeiro lugar, porque compreende a espiritualidade como seguimento de Jesus Cristo ou como a vida segundo o Espírito de Jesus Cristo. Numa expressão: a espiritualidade cristã é viver como Jesus viveu. É decisão vital! Não há escapatória, nosso viver diário nos denunciará a cada instante!

Em segundo lugar, porque a espiritualidade abrange todos os aspectos e dimensões da vida cristã: pessoal, eclesial e social, incluindo nossos valores, idéias, intenções, práticas, sentimentos, decisões, família, sexualidade, lazer e trabalho. É a vida na sua totalidade e complexidade que deve ser vivida segundo o Espírito de Jesus Cristo.

Que as palavras a seguir lhe proporcionem um princípio estruturador a compreensão da espiritualidade cristã como um modo de vida, como algo que diz respeito à existencia humana em suas amplas possibilidades e limites. Dentre elas, a saber, a nossa capacidade de decidir frente aos desafios da vida sob a poderosa iluminação do Espírito de Deus, que nos vocaciona e conclama a um promissor e radical compromisso com a presença de Jesus num mundo de trevas, incertezas e dúvidas.

Dentre os vários símbolos do Antigo Testamento dedicados a sinalizar a presença de Deus no meio de seu povo, encontramos o Candelabro da Tenda Sagrada conforme descrito no Pentateuco, nos Profetas e no Novo Testamento. Os textos indicados aqui devem ser lidos com calma e atenção, a fim de que possamos nos aprofundar na temática proposta (Ex 25.31-40; 26.35; 30.27; 31.8; 35.14; 37.17-24; 39.37; 40.4 e 24; Lv. 24.4; Nm 3.31; Nm. 4,9; Nm. 8.2-4; 1Rs 7.49; 1Cr. 28.15; 2Cr. 4.7 e 20; 2Cr.13.11; Zc. 4.2 e 11; Hb. 9.2; Ap. 1.12-13, 20; Ap. 2.1 e 5; Ap. 11.4). Na perspectiva do Novo Testamento, de modo particular em Hebreus e Apocalipse, é impressionante como permanece viva e dinâmica a temática da luz como um dos temas vitais do kerigma cristão. Amplamente caracterizado no pensamento apostólico joanino, o contraste luz/escuridão nos ajuda a entender o grau de relevância deste assunto no primeiro século da era cristã.

Observamos com interesse o sentido deste utensílio cúltico e litúrgico, a *menoráh*, e como seu impacto na rica tradição teológica da igreja não perdeu sua vitalidade. Ressignificado na nova aliança não deixou de ser um paradigma relevante no contexto da peregrinação e do martírio como estilo de vida da igreja nascente no primeiro século. Uma leitura mais atenta de Hebreus e Apocalipse nos ajuda melhor a perceber tais nuances.

É a partir deste elemento carregado de rica propriedade histórica, litúrgica, profética, poética e, até mesmo, escatológica, que iremos pensar nas lições da *menoráh* para nossa vida e cotidiano. Enquanto se compreende como povo peregrino e mártir, a igreja segue caminhando e anelando pela iluminação para o caminho.

A Bíblia faz inúmeras referências específicas deste elemento que compõe a minuciosa orientação divina recebida por Moisés no monte Sinai. Alguns textos oferecem detalhes sobre a sua forma, elaboração, tamanho, peso, dando a entender que se tratava de um delicado processo de confecção artesanal. Vejamos, pois, alguns detalhes deste utensílio no cotidiano do povo da aliança e das promessas messiânicas.

A MORDOMIA DA LUZ NO DIA A DIA

É bastante conhecida a relação fundamental do candelabro com o *shabat*[2] (ou repouso). Quando as mulheres em Israel se davam conta da aproximação deste período de descanso e adoração, não descuidavam em manter viva a luz, ensejando um período de preparo para meditação no seio familiar. As piedosas matriarcas israelitas, sempre atentas, sabiam do valor da lâmpada e, por isso, mantinham a escuridão do mundo longe do ambiente sagrado do lar. A luz bendita cercava o ambiente doméstico fazendo sempre nova a esperança e a confiança num Deus vivo, santo e verdadeiramente comprometido em abençoar o Seu povo. Nunca é demais recordar

---

2   Para os judeus, o sábado é o dia de descanso e adoração: a maioria dos cristãos guarda o domingo como seu shabbat, pois Jesus ressuscitou neste dia.

que "ela percebe que o seu ganho é bom; a sua lâmpada não se apaga de noite" (Pv. 31.18).

A mordomia da luz representada nas sete iluminações, advindas da *menoráh*, faziam recordar um ciclo de vida a ser celebrado e comemorado para sempre. O povo de Israel via na luz do candelabro, entre outras coisas, a fidelidade de um Deus libertador que, para sempre, libertou Seu povo do cativeiro e os fez descansar em terra boa de leite e mel. O sétimo dia indicava um tempo estratégico de descanso e quietude. Um tempo com propósito revelava a relação sagrada do espaço da vida, da família, do trabalho e dos afazeres simples do dia a dia como algo intrínseco e não dissociado da realidade espiritual.

Para nossa reflexão, será preciosa a atenção dedicada ao modo como a comunidade lança mão do aprendizado da lâmpada na vida comum do lar e do trabalho. Na medida em que nos deixamos envolver pela misteriosa e cativante luminosidade da *menoráh* divina, seremos conduzidos a um desafiador processo de reflexão e mudança.

Precisamos, a priori, conduzir por textos bíblicos que nos desafiem a pensar e refletir com mais clareza e coragem em nossa própria experiência de fé. Os textos sugeridos para o exercício desta reflexão preliminar encontram-se em:

Isaías 11.2

"E repousará sobre ele o espírito do Senhor, o espírito de sabedoria e de inteligência, o espírito de conselho e de fortaleza, o espírito de conhecimento e de temor do Senhor".

Êxodo 25.40

"Atenta pois que o faças conforme ao seu modelo, que te foi mostrado no monte".

Apocalipse 1.12-13

"Voltei-me para ver quem falava comigo e, voltado, vi sete candeeiros de ouro e, no meio dos candeeiros, um semelhante a filho do homem, com vestes talares e cingido, à altura do peito, com uma cinta de ouro".

Nós precisamos mergulhar no contexto destas passagens e não apenas nos versículos supracitados. Além disso, seria muito útil a pesquisa em alguma chave bíblica relacionando candelabro e candeeiro.

Os textos de Isaías e de Êxodo, por exemplo, nos colocam diante de um paradigma importante em se tratando de um dos emblemáticos assuntos em toda a Escritura: o Reino de Deus. Não podemos nos furtar a ele se pretendemos aqui tecer qualquer tipo de comentário na rica temática da luz que emerge da experiência fundante de Israel como povo de Deus e nação designada para ser luz para as nações.

Toda leitura bíblica precisa respeitar seu contexto e propósito. O fio condutor, portanto, nos coloca diante do fato de que o leitor da Bíblia deve olhar para a *menoráh* ensejando em sua mente um princípio básico de identidade para o israelita comum. Para a nossa mentalidade ocidental utilitarista e pragmática, não há muito sentido em parar para observar detalhes e pormenores dos ritos, símbolos e utensílios de culto na longa lista apontada no Pentateuco. Entretanto, cada detalhe ali descrito é um elemento constitutivo da maneira de ser e pensar como povo de Israel.

Pautada em valores e numa investidura de um reino onde se almeja instaurar a boa, perfeita e agradável vontade de Deus, a luminosidade é um símbolo de realeza, grandeza e justiça equânime. Equânime é aquilo que demonstra ou possui tranquilidade no juízo e no julgamento, permanência e constância. Ou seja, não muda com o tempo e nem se altera sob qualquer pressão alheia. Dificilmente a escuridão e a penumbra conseguem promover ilusão e engano quando a luminosidade é mais forte e mais intensa do que as trevas. O escuro é sinônimo de caos, de corrupção, de falta de clareza e falta de honestidade! É do altar sagrado da majestade divina, da luminosidade santa da *menoráh* com suas sete lâmpadas simbolizando a plenitude da justiça divina que, buscaremos, fincar as estacas e bases para alargar nossa compreensão sobre as lições importantes da *menoráh* para hoje.

Falar de Moisés e falar de Isaías é um grande desafio. O momento do chamado e da vocação de cada uma destas pujantes personagens bíblicas marcou para sempre o modo como entendemos e lemos a história de Israel. Ambos estão circunscritos num ambiente de crise e clamor por justiça, permeados com uma palavra de esperança ao coração de um povo sem perspectivas de vida abundante e plena. Na verdade, quando os fundamentos não se encontram firmes, o coração do povo desfalece e clama por respostas divinas rápidas e urgentes! "Queremos luz" é o grito das nações ontem e hoje.

Na famosa experiência de Isaías podemos encontrar as seguintes informações: "No ano da morte do rei Ozias eu vi o Senhor" (Is. 6.1). Já na experiência de Moisés, nos deparamos com a seguinte informação: "vi a aflição do meu povo, que está no Egito, e ouvi o seu clamor por causa dos seus exatores. Conheço-lhe o sofrimento; por isso, desci a fim de livrá-lo da mão dos egípcios... vem, agora, e eu te enviarei a Faraó..." (Êx 3.7-10).

UMA APROXIMAÇÃO AO NOSSO CONTEXTO ATUAL

Vivemos um tempo de extremos em todos os sentidos. Para muitos especialistas em análise de conjuntura, o terceiro milênio é inaugurado com o advento do terrorismo fundamentado na ideologia religiosa, em franca oposição a idolatria do capital e do consumo. Não há desencanto do mundo, pelo contrário, ganha força e credibilidade quem apresenta primeiro as novas doses beligerantes da mistura explosiva: dinheiro, informação e religião. Enganam-se aqueles que negam tal fato. É rica, impressionante e nefasta a oferta dos bens simbólicos à disposição nos disputados espaços dos hipermercados da fé.

Ainda é possível afirmar que, no cenário dos extremos, não há uma negação, a priori, da tradição. Ou seja, não há um abandono do passado em nome de uma nova racionalidade moderna, tecnicista e digital, como pretendiam e defendiam alguns teóricos e gurus do campo religioso. Pelo contrário, nada mais atual do que uma ópera rock, um canto gregoriano regado com muita luz, emoção e ação! Comer, rezar e amar não é mais um jargão literário, mas agora um estilo de vida saltando da grande tela para o cotidiano temperado com um bom esporte radical e uma rápida visita a um templo. Ou ainda uma viagem com um pequeno grupo religioso situado num ambiente amistoso aos finais de semana. Uma boa literatura de auto-ajuda para massager o ego e lubrificar as sensações como fim último da vida também é outro ingrediente encontrado no menu dos apetites espirituais mais refinados. Afinal, segundo alguns, o que vale mesmo é se espiritualizar! Como entender esse cenário?

Neste ambiente onde o mundo mais parece um grande canteiro de obras, onde a cada esquina nos deparamos com as placas: "Desculpe o transtorno, estamos trabalhando para melhor servi-lo", somos convidados indiretamente a transitar entre o informe e o quase pronto. Tudo parece uma imensa via sacra das incertezas e um reduto de ilusões. Fincar o pé em terreno firme e marcar o espaço do nosso projeto de vida é quase um insulto para a mente hiper-moderna e inquietantemente conduzida pela permanente e ininterrupta conexão na velocidade da informação e da performance. Tudo muito áspero, sem limite e supostamente indolor e impessoal.

Deus espera de nós uma mudança de mente que conduz a uma mudança de estilo de vida (Rm 12.2). Isto requer uma nova atitude clara em relação ao pecado e ao mundo; é necessário render-nos totalmente ao Senhor, em busca de uma reviravolta moral e espiritual para a nossa vida. Chamamos isto de consagração que significa, em primeira mão, separar-se para Deus e para o serviço de Deus (Jo 17.4; Jo 17.19).

O primeiro passo do processo da consagração pessoal é a nossa identificação com Jesus, que nas palavras do apóstolo Paulo implica em ser "crucificado com Cristo" (Gl 2.20). Fomos crucificados com Cristo em Sua morte, mas não permanecemos mortos. Ressuscitamos também com Jesus para andar em novidade de vida. Sem esta identificação, a consagração verdadeira não é possível. Conscientizemo-nos disto: Cristo Jesus vive em nós. Deixemo-lo viver a Sua vida em nós.

ENTRANDO NA TENDA

"Moisés costumava montar uma tenda do lado de fora do acampamento; ele a chamava Tenda do Encontro. Quem quisesse consultar o Senhor ia à tenda, fora do acampamento. Sempre que Moisés ia até lá, todo o povo se levantava e ficava em pé à entrada de suas tendas, observando-o, até que ele entrasse na tenda. Assim que Moisés entrava, a coluna de nuvem descia e ficava à entrada da tenda, enquanto o Senhor falava com Moisés. Quando o povo via a coluna de nuvem parada à entrada da tenda, todos prestavam adoração em pé, cada qual na entrada de sua própria tenda. O Senhor falava com Moisés face a face, como quem fala com seu amigo. Depois Moisés voltava ao

acampamento; mas Josué, filho de Num, que lhe servia como auxiliar, não se afastava da tenda". (Ex. 33. 7-11).

"Então, saiu Moisés ao encontro do seu sogro, inclinou-se e o beijou; e, indagando pelo bem-estar um do outro, entraram na tenda" (Ex. 18.7).

"No ano da morte do rei Uzias, eu vi o Senhor assentado sobre um alto e sublime trono, e as abas de suas vestes enchiam o templo. Serafins estavam por cima dele; cada um tinha seis asas: com duas cobria o rosto, com duas cobria os seus pés e com duas voava. E clamavam uns para os outros, dizendo: Santo, santo, santo é o Senhor dos Exércitos; toda a terra está cheia da sua glória. As bases do limiar moveram-se à voz do que clamava, e a casa se encheu de fumaça. Então disse eu: Ai de mim! Estou perdido! porque sou homem de lábios impuros, habito no meio dum povo de impuros lábios, e os meus olhos viram o Rei, o Senhor dos Exércitos! Então um dos serafins voou para mim trazendo na mão uma brasa viva, que tirara do altar com uma tenaz; com a brasa tocou a minha boca, e disse: Eis que ela tocou os teus lábios; a tua iniquidade foi tirada, e perdoado o teu pecado Depois disto ouvi a voz do Senhor que dizia: A quem enviarei, e quem há de ir por nós? Disse eu: Eis-me aqui, envia-me a mim". (Is 6:1-8).

Nesse prisma obviamente caricaturado e com traços de um contorno ainda não definido, apresentado no desfecho do último capítulo, emerge a igreja de Cristo. Um movimento do Espírito, que sempre carece de um novo sopro para se erguer, juntar as partes e formatar carne e osso em meio a um vale ainda informe e sem sentido. Eis o nosso desafio: confessar humildemente "TU o sabes", antes de sairmos apressados profetizando e nos apropriando de contextos onde Deus só vê bagunça! Convidamos o leitor a um desarmamento: permita-se guiar por uma nova perspectiva ao longo do caminho, buscando um lampejo de razoabilidade, enquanto segue folheando e analisando os próximos argumentos encontrados por aqui. Desejamos argumentar para entender e entender para argumentar. Para tanto, novamente frisamos, precisamos resgatar o princípio da identificação onde a morte e a ressurreição nos conduzem para um patamar de consagração e iluminação como pressupostos fundamentais desta tarefa.

O QUE DEUS JÁ SABE? O QUE NÓS JÁ SABEMOS?

Um profeta... Uma lâmpada... Um reino... Uma decisão...

A busca de entendimento é sempre um esforço de sair de si mesmo para adentrar em ambiente alheio. Na acepção da palavra *"entender"*, vislumbramos o desafio perene de "entrar na tenda do outro", um gesto sempre arriscado, inspirado pelo temor e tremor. No nosso caso, da lâmpada e do profeta frente ao "Totalmente Outro" (Deus). Uma experiência repleta de possibilidades alvissareiras de crescimento pessoal e espiritual nesta confrontação/contemplação frente a alteridade divina.

Praticamente toda história do profetismo no Oriente está ligada à monarquia direta ou indiretamente. Não podemos ignorar tal fato. Não há como pensar isoladamente o papel do profeta sem uma compreensão adequada do papel do rei. Em linhas gerais, o profetismo bíblico, delineia os rumos da nação e da vontade de Deus para o rei e seu povo corrigindo, animando, educando e exortando, sempre para à luz da Palavra Eterna de Deus.

Entenda: não se trata, apenas, de reconhecer a importância do texto escrito e redigido em sua forma final ao período da monarquia instaurada. Alguns poderiam comentar: "é óbvio que o texto escrito só encontra sua forma final num momento onde a monarquia já se encontra instalada e o reino unido sob uma única égide". Mas não é esse o nosso foco aqui. Não faremos uma discussão exaustiva da relação existente entre a escrita e o período monárquico, até por que não é esse o nosso objetivo, ao tratar o tema da *menoráh* e do profetismo messiânico.

O que precisamos ter em mente são duas coisas importantes:

1) Em primeiro lugar, o texto escrito não anula a herança oral sobre o imaginário do deserto e da liderança pujante de Moisés na configuração e na moldura da compreensão de Israel como povo;

2) Em segundo lugar, relacionar profetismo messiânico com *menoráh* é tentar um caminho de compreensão da vocação histórica de Israel sem perder de vista seu impacto e eco na vida da igreja do Novo Testamento. Visto que a figura do candelabro emerge no horizonte escatológico das cartas do Apocalipse e no imaginário da peregrinação de Hebreus, ressignificando o imperativo ético do sermão do monte de sermos "luz", não podemos perder tal oportunidade de reflexão como um importante exercício como povo de Deus e sobre a nossa vocação histórica e prática ministerial.

Nossa identidade cristã e a nossa postura sempre precisam de um elemento crítico para uma boa avaliação e uma revisão de vida saudável. Vida saudável é vista aqui como o desenvolvimento da capacidade de encontrar iluminação para as boas decisões na vida e, assim, influenciar positivamente nosso universo de sentido pessoal (nosso presente, nosso futuro e como avaliar de forma equilibra nosso passado). Em se tratando de critérios, entendemos que a iluminação do candelabro pode nos auxiliar nesta preciosa tarefa de reformar sempre reformando, i.e. - a fé, atualmente, é vivenciada em um mundo pluralista. Aquele que crê deve estar aberto às mudanças e ser tolerante diante do "outro", sem, contudo, comprometer ou sacrificar a autenticidade da fé cristã. Por isso, lhe desafiamos a permanecer aberto a entrar na tenda com Moisés e Isaías, recordando um tempo de crise nacional e clamor por iluminação frente à dor, sofrimento e as inúmeras possibilidades de alcançar a terra que emana leite e mel. Assim, nós cremos, será possível uma honesta aplicação dos princípios desta reflexão ao nosso próprio contexto.

RECAPITULANDO

A palavra "rei", como já ficou mais do que evidente, indica na verdade um princípio de governo a ser seguido e respeitado visando um propósito: o bem estar social de todos e a glória de um Deus único e verdadeiro. Em outras palavras, a visão de um Rei e de um Reino é o pano de fundo, a moldura da tela nesta grande pintura que é a saga do profeta Isaías e do libertador Moisés a serviço da liberdade e justiça por amor a Deus e ao povo sofrido.

Algo que começa a ficar mais definido (pelo menos em tese) a partir de 1 Samuel 8 (a monarquia) não anula, como já assinalamos anteriormente, a rica tradição oral que permanece como a argamassa que cimenta e garante a unidade nem sempre tão visível, mas suficientemente eficaz a ponto de garantir uma linha tênue entre identidade de grupo e a influência do meio nas inúmeras histórias de derrotas, crises e conquistas ora como "Israel", ora como "povo de Jacó". Não há purismo, não há triunfalismo, não há ingenuidade histórica, mas sobretudo, podemos perceber um Deus misericordioso que não descarta seu projeto de fazer o Seu povo alcançar o desafio de ser Luz para as nações. Custe o que custar!

O profeta é aquele indivíduo situado na fronteira do divino e do político na belíssima trama registrada nas páginas do Antigo Testamento. Moisés representa esta tentativa de síntese entre a mística do monte Sinai e os desafios políticos cotidianos de um povo que se esforça para ser a nação ao redor de um único poder divino e de uma única aliança política e espiritual capaz de manter a ordem, a paz, a harmonia e o bem estar de todos (inclusive do estrangeiro). Tal "fronteira" é onde a lâmpada acesa deve estar.

Aquele que crê precisa estar no limite da difícil tarefa de manter contato com o transcendente e, do outro lado, do imanente. É bom lembrar que a figura de Moisés é pragmática num contexto repleto de deuses, forças político-religiosas em franca oposição e uma mistura complexa de crenças e valores sobre a relação do mundo dos homens com o mundo divino. Nunca é demais recordar que o coração da cultura judaica estava pautado no valor absoluto da *Toráh*.[3] Ao redor das palavras do profeta e legislador de Israel, Moisés, orbitavam os anseios de uma impressionante e complexa teia de organização social da nação nascente e candidata a promissora portadora de uma luminosidade exemplar para outros povos. As crianças, desde os seis anos de vida, eram submetidas ao processo de aprendizado da *Toráh*, devendo ouvir e memorizar todo o Pentateuco. Não havia escolha ou opção política: ao oitavo dia havia circuncisão e, na seqüência da vida, outras importantes linhas de conduta e raciocínio previamente estabelecidos no pacto do Sinai eram encarnadas nos afezeres diários.

Estamos nos referindo a um aspecto nem sempre observado com atenção quando se opta por uma leitura sob a ótica da influência de Moisés. A fim de que possamos tratar da questão da esperança messiânica e do ensino emergente das sete lâmpadas, descrito de forma magistral e poética tanto pelo profeta Isaías como no livro do Êxodo, e retomado no Apocalipse, temos que aceitar como válida a tese de que a escrita mosaica é definitiva nas mentes e no ambiente espiritual e político de todo o povo de Israel.

Por ser revelação de Deus, a mensagem dos profetas é perfeitamente válida para os nossos dias (Rm 16.26). O ministério dos profetas era tão importante que, às vezes, foi usado para se referir ao

---

[3] Palavra hebraica que significa "lei": no sentido técnico, o termo se refere ao Pentateuco, os cinco primeiros livros do Antigo Testamento.

Antigo Testamento (At 26.27). Uma tarefa nem sempre tranqüila e nem sempre muito feliz para um profeta era falar em nome de Deus. Entretanto, essa tarefa era necessária e importante na difícil encruzilhada de seguir adiante ora aborrecido e indignado, ora admirado e inspirado pelo favor divino.

De fato, é impressionante os "altos e baixos" desta figura notável que as páginas do Pentateuco tentam nos mostrar. Aliás, precisamos continuamente desta dose de compreensão e misericórdia com a figura de Moisés se desejamos entender um mínimo possível do seu papel e chamado a receber iluminação para legislar, orientar, anunciar, denunciar e animar o povo, que precisava continuar andando rumo a um reino ainda informe, mas com grande potencial de realização histórica. O "charme" desta figura emblemática no pensamento judaico reside no fato de que as páginas do Antigo Testamento não escondem suas aflições, paixões, equívocos e estupidez momentâneas. O instrumento nas mãos de Deus, o homem Moisés, é um claro exemplo de nossa própria saga como homens e mulheres marcados pela ambigüidade da existência humana, ousando adentrar a tenda do divino e dali sair imbuídos de um desejo ardente e sincero de mudar o mundo, as pessoas, a família... enfim...a própria história.

Capítulo 3

LANÇANDO LUZ NAS ENCRUZILHADAS DA VIDA

O caminho da maturidade na experiência com Deus se faz sob à luz da revelação divina. Devemos construir uma ponte sobre a divisão entre fé e a razão em nossa abordagem de Deus, a fim de tornar mais precisa a relação entre espiritualidade, iluminação e decisão.

A difícil tarefa de situar a espiritualidade, a iluminação e a decisão dentro da cultura ocidental contemporânea requer uma visão histórica geral da relação entre fé e razão no contexto da vida cotidiana. Não faremos tal explanação neste livro, pois refletir a esse respeito exigiria uma extensa abordagem bastante presente na discussão contemporânea sobre a identidade ou condição cristã no mundo. Desta forma, uma reflexão sobre espiritualidade e teologia cristã será uma leitura de valor inestimável para todo discípulo de Jesus, bem como para todos os que servem na obra de Deus. Sobre este tema falaremos mais em outra ocasião.

Na perspectiva aqui adotada, o candelabro e o profeta simbolizam o ponto de encontro da encruzilhada do humano e do divino. O mesmo princípio se aplica para ressaltar cada lâmpada do candelabro, i.e., as sete perspectivas de excelência na iluminação no espírito do profetismo messiânico; luz que ilumina para enaltecer o sagrado ao mesmo tempo em que clareia a mente para a vida em suas dimensões repletas de escuridão e penumbra.

Portanto, o espírito profético e o espírito messiânico conferem a mesma investidura do Filho do Homem que passeia no meio dos sete candelabros de ouro (Ap 1.12-13). Conferindo este texto, e comparando o mesmo com os textos e contextos sugeridos anteriormente, podemos sugerir, sem grande dificuldade, que uma das marcas distintivas de um profeta é a sua capacidade/habilidade de enxergar vida no tenebroso universo do caos, da escuridão espiritual e até mesmo da morte. Caso típico deste modo de pensar é visto em Ez 37, Jr 1.11-12, entre outros textos. Moisés consegue algo parecido: a todo instante precisa enxergar uma saída, uma porta aberta em meio a confusão e a crise que brotam frente a longa caminhada no deserto gerando morte e desespero. Como não recuar? Como avançar quando tudo parece indicar um iminente fracasso? Como olhar ao redor e para dentro de si mesmo e encontrar forças para seguir em frente e animar os outros a fazerem o mesmo? Onde enxergar a beleza da vida quando tudo parece cinzento?

Bem, antes de responder tais indagações, vejamos com mais atenção alguns elementos constitutivos da confecção da menoráh.

Quando reparamos com cuidado na descrição da *Toráh*, notamos que o candelabro é totalmente maciço e de ouro. Não há preocupação estética, a sua aparência é bela enquanto ilumina o interior da tenda sagrada. Sua função é bem definida. A beleza é a beleza da santidade a ser enaltecida. Batido incansavelmente pelo artífice de Deus, vai assumindo sua forma enquanto deixa suas impurezas e sua antiga estrutura.

"Em um mundo sem beleza... até o bem perdeu sua força de atração, a evidência de seu dever-ser-feito... Em um mundo que já não se crê capaz de afirmar o belo, os argumentos a favor da verdade perderam as forças de conclusão lógica" (Von Balthasar, *Glória*, 1)

Pare um momento sua leitura e pense... use sua imaginação... deixe sua mente ser iluminada por um lampejo de coragem e ouse vislumbrar, novamente, a seguinte cena: a experiência do profeta Ezequiel assustadoramente descrita em Ez 37.1-3. Enquanto você se esforça para imaginar o profeta naquele vale medonho, imagine uma mudança ainda mais curiosa: o artífice tramando em seu íntimo o candelabro em sua composição final nas fortes batidas, para apresentar o material segundo o modelo visto no monte sagrado.

Pense na angústia inescapável do profeta na sua tarefa gigantesca e absurda de falar com uma platéia apática e horrorosa para qualquer orador competente e corajoso:

"Veio sobre mim a mão do Senhor e o Senhor me levou em espírito, e me pôs no meio de um vale que estava cheio de ossos. E me fez andar ao redor deles; e eis que eram mui numerosos sobre a face do vale, e estavam sequíssimos. E me disse: Filho do homem, poderão viver estes ossos? E eu disse: Senhor Jeová, Tu o sabes" (Ez 37.1-3).

Em resumo, por mais conhecimento, vivência e habilidade que um profeta possa ter, ele nunca estará isento dos desafios e ameaças que sua própria condição lhe lança em face. Ele é, em larga medida, alvo de suas próprias palavras e destino. Não é um mero espectador privilegiado no camarote da conspiração divina que atinge seus conterrâneos. Ele mesmo é um deles, um caminhante que carece de iluminação e depende dela para vida ou para a morte. De modo análogo, o artífice, em seu labor incansável nas incontidas marteladas sobre o precioso metal, anela por um fim proveitoso: uma iluminação devota a serviço de um reino de justiça e paz. Em ambos os casos, o melhor que pode haver no íntimo de um profeta e de um artífice é se deixar iluminar pela razão divina, capaz de conduzir a um fim harmonioso entre o sonho humano e o propósito divino.

UM MODELO, UMA MISSÃO, UMA VISÃO

"Farás tudo conforme o modelo que foi mostrado no monte" (Ex 25.40).

O pensamento clássico, a música clássica, móveis clássicos... enfim, aquilo que costumeiramente possui longevidade, legitimidade e coerência não precisa de unanimidade ou de ampla aceitação. O clássico não clama por aplauso, basta ser o que é – e pronto! É possível criticá-lo, negá-lo, questioná-lo, contudo não há como ignorar a sua existência e consistência ao longo do tempo, ele fala por si só. Estamos nos referindo a tudo aquilo que podemos perceber no campo do horizonte de sentido da experiência e produção humana ao longo dos séculos e milênios.

Assim, ao nos reportarmos ao tema do candelabro na Bíblia, precisamos tomar cuidado com algumas "expressões clássicas" no horizonte de sentido da experiência mística e religiosa de Israel. Alguns indicativos ao longo do texto bíblico precisam ser respeitados e compreendidos como realmente são em seu ambiente próprio. Interpretá-los e interpelá-los longe destes mesmos marcos é correr o risco de transformar uma narrativa em lenda mágica e estúpida. Eis aqui algumas destas cautelas:

O "monte", espaço da experiência com Deus, não da especulação ou do misticismo mágico. Assim como Paulo nos fala no Novo Testamento, acerca de como Moisés esteve na nuvem diante da presença de Deus, vendo e ouvindo coisas que palavras humanas não podem descrever, fica claro o limite e a dificuldade da linguagem e argumentação humana. Mas, sobretudo, Moisés e Paulo não falam de algo que pudesse satisfazer a curiosidade humana acerca de fenômenos e visões sobrenaturais, ele aqui nos remete a Palavra revelada e a uma questão fundamental: Deus quer tabernacular, habitar, ter um relacionamento com seus filhos, estabelecer uma aliança! E essa aliança é **simbolizada** nos utensílios da Tenda da congregação e o candelabro é um destes elementos, que simbolizam a comunhão e a relação com a Majestade Divina! O símbolo aponta para além de si mesmo, participando, ao mesmo tempo, daquilo que sinaliza e quer convidar a uma compreensão mais profunda onde palavras e argumentação racional não esgotam o propósito principal a ser ensinado.

E mais: O "monte" é um indicativo de padrões elevados, de uma busca permanente pela excelência, de um enlevo e transbordamento do extraordinário nos odres do cotidiano ordinário. Menos que isso não é monte, é um morrinho, um arremedo de altura e altivez estúpida que se esfarela com o tempo. É ilusão do deserto que engana e mata.

Com efeito, o monte é também o lugar estratégico por natureza, lá se encontram os grandes generais, os atalaias, os visionários e os que estão dispostos a romper limites e encontrar o caminho da iluminação de outra perspectiva: a de cima!

DEUS ESTÁ CONOSCO OU NÃO?

Provavelmente nunca houve qualquer "construção civil" ou "engenharia de construção civil" ou "alvenaria" para usos sagrados antes deste tabernáculo erguido por Moisés em Israel. Neste tabernáculo, Deus fazia recordar Sua Majestade, como rei de Israel, destinado a ser um sinal de sua presença que, enquanto estivesse no meio deles, não daria margem para aquelas típicas perguntas que fazemos quando estamos em crise: "O Senhor está presente ou não?"; "O senhor pode me dar um sinal?".

E, como no deserto habitavam em tendas, o palácio real foi destinado a ser um tabernáculo, ou seja, Deus estava dizendo a seu povo que Ele é um Deus que se move e caminha junto com os seus filhos de um jeito que eles entendam e possam experimentar a Sua presença. Uma tenda para que entendam! Entendeu? A palavra entendimento é um convite a entrar na tenda, adentrar o espaço do outro. Nesse caso específico, entender a caminhada do deserto era uma tarefa permanente de entendimento. De um lado, um Deus fiel. De outro lado, um povo infiel que deseja ser uma nação.

Fato curioso é que a tenda da congregação não possui janelas. Assim, sem o candelabro, o ambiente é escuro e desagradável. Com a luz do candelabro e suas sete lâmpadas, é possível perceber sua realidade e função. Contudo, ao adentrar o ambiente sagrado, o sacerdote não permanecera para sempre ali. Ele sairá e anunciará revelação divina. O anúncio orienta a vida e a caminhada de um povo peregrino até chegar a seu destino. O anúncio da revelação ilumina o caminho e a maneira correta de enfrentar os obstáculos. Só se caminha com a certeza de que o caminho é o caminho revelado.

A dinâmica de ficar e avançar nem sempre é bem compreendida por aquelas personagens que fazem parte do povo da tenda e da lâmpada sagrada. Mesmo com iluminação divina, sempre existirá o desejo de "andar na carne" como opção mais fácil e atalho sem provações e dificuldades.

AS TENTAÇÕES DE ONTEM E DE HOJE!

No folclore oriental, especialmente entre os árabes, há inúmeras compreensões sobre o papel da lâmpada e o espírito como orientador e apaziguador de dúvidas, incertezas e conflitos. Vejamos uma interessante explicação sobre as origens do mito do gênio, e da lâmpada.

"Os gênios são espíritos que têm poderes sobrenaturais, e aparecem em diversas formas e tamanhos. Podem ser bons ou maus, dependendo de seu mestre. Vivem em lugares inóspitos, como garrafas vazias. Gênio é a tradução usual em português, para o termo árabe jinn. De acordo com a mitologia, os jinni foram criados dois mil anos antes da criação de Adão, e eram possuidores de elevada posição no Paraíso, grosso modo, igual ao dos anjos, embora na hierarquia celeste fossem provavelmente considerados inferiores a eles. Deles é dito serem feitos de ar e fogo. Entre os arqueólogos, lidando com antigas culturas do Oriente Médio, qualquer espírito mitológico inferior a um deus é frequentemente referenciado como um 'gênio', especialmente quando descrevem relevos em pedra e outras formas de arte. Esta prática se inspira no sentido original do termo 'gênio', como sendo simplesmente um espírito de algum tipo. Sendo compostos de fogo, ou ar, e tendo a capacidade de assumir qualquer forma humana, ou animal, os jinni podem residir no ar, no fogo, sob a terra e em praticamente qualquer objeto inanimado concebível: pedras, lamparinas, garrafas vazias, árvores, ruínas etc. Na hierarquia sobrenatural, os jinni, embora sejam inferiores aos demônios, são extremamente fortes e astuciosos; e possuem todas as necessidades físicas dos humanos, podendo até mesmo ser mortos, mas estão livres de quaisquer restrições físicas. A palavra árabe jinni deriva do verbo 'Djanna', que significa 'ser coberto ou escondido', e com o verbo na voz ativa, significa: 'cobrir ou esconder'. Algumas pessoas dizem que jinn, portanto, significa as qualidades ou capacidades ocultas do homem. Outras pessoas alegam que significa seres da selva, ocultos nos montes. Segundo a crença islâmica os gênios vivem na terra, em um mundo paralelo ao da humanidade, do qual podem ir e voltar a vontade, sendo invisíveis aos olhos humanos sempre que desejam. Nem todos os jinni são casos totalmente perdidos. De alguns se diz que possuem uma disposição favorável em relação à humanidade, ajudando-a quando precisa de ajuda, ou mais provavelmente, quando isto é conveniente aos interesses do jinn. Na maioria dos casos citados, na literatura e no folclore, eles se divertem em punir os seres humanos por quaisquer atos que considerem nocivos, e são assim responsabilizados por muitas moléstias, e todos os tipos de acidentes. Todavia, quem conhecer os necessários procedimentos mágicos para lidar com os jinni, pode utilizá-los em proveito próprio".[4]

É óbvio que não encontramos tal mentalidade na Bíblia quando o assunto é iluminação. Entretanto, em certas ocasiões, há a tentação de manipular e controlar o sagrado e tentar engarrafar o transcendente e comercializá-lo em favor de uma causa particular. É mais comum do que imaginamos. Um exemplo clássico é a tentativa de transformar a arca da aliança em uma espécie de amuleto da sorte na arte da guerra (1Sm 4.3) e o bezerro de ouro como totem protetor (Ex 32). São dois momentos tragicômicos registrados para sempre no Antigo Testamento, enquanto o povo da tenda e da lâmpada sagrada caminhava pelo deserto. A "simônia" no Novo testamento nos recorda o quão sedutora é a busca por uma lâmpada para esfregar e obter desejos que revelam nossos mais profundos instintos pecaminosos e destrutivos (cf. At 8.18s).

Esta mesma tentação ainda existe, corremos o risco de nos deixar fascinar pela genialidade da "lâmpada" e tentar furtá-la para nossa própria satisfação e capricho, sem entender seu sentido e propósito divino.

De fato, nossa imaginação pode nos conduzir a um tipo de vertigem espiritual, onde nossos sonhos de consumo e prazer podem ser atendidos num passe de mágica. Para muitos, sem qualquer escrúpulo, basta dominar o ritual de "esfregar a lâmpada" e adentrar

---

[4] http://www.gazetadebeirute.com/2013/04/a-origem-do-genio-da-lampada.html#ixzz2nuq92O96 .Under Creative Commons License: Attribution Non-Commercial Share Alike

batalhas e campanhas vitoriosas em nome do sagrado, no terreno do profano e do "inimigo". Mas, como nas séries de televisão e desenhos animados, sabemos que as aflições de 'Aladim' e da clássica loira de 'Jeannie é um Gênio' são comuns a todos os mortais. O que vale mesmo é o trabalho, enfrentar as lutas e não negar nossa humanidade com suas ambigüidades e complexidades, que tornam a vida uma aventura maravilhosa.

Outro aspecto peculiar que precisa ser observado é... *O MODELO*. Como a ética do Sinai também acompanha o pacote da tenda e da lâmpada, os rituais e liturgias não são meros acessórios ou perfumaria como alguns desavisados utilizam. Orientações e preceitos éticos não são encarados como imposição religiosa ou sacralização de um discurso de poder, mas, sobretudo, como privilégio de sair de uma vida desorganizada, da humilhação e da escravidão para um patamar de civilidade jamais experimentado. Orientações, limites e coordenadas são manifestações graciosas de um Deus de amor, especialista em transformar caos em ordem!

Com efeito, em qualquer lugar onde encontramos um grupo social organizado, vamos descobrir um conjunto de ritos, práticas e crenças subjacentes ao próprio ajuntamento humano. Um beijo no rosto, um aperto de mão, um desejo ardente por formalidade ou informalidade, uma refeição ou até mesmo uma devoção pessoal a um antepassado ou ideal de vida estampado no pára-choque de um carro, numa vela acesa, revelam nossas próprias marcas e sentido de povo.

Ademais, o povo da tenda e da lâmpada representa um segmento social claramente determinado pelos valores e princípios éticos e morais assinalados nas pedras da Lei recebidas no Sinai por Moisés. A liderança de Moisés é legitimada na medida em que as Palavras de Deus atingem a mente e o coração do povo. Então, a ordenança é seguir o modelo custe o que custar; mover-se com eles a favor deles e dos "outros" na escuridão!

E esse santuário feito por mãos era apenas a "figura" do verdadeiro que haveria de se manifestar - Hb 9:24. E hoje? O que nos ensina a antiga experiência do deserto, da tenda e do candelabro?

No Novo Testamento, a Igreja assume o verdadeiro sentido do tabernáculo que o Senhor fundou, e não o homem - Hb 8:2. A igreja caracteriza bem esse fato e, assim, por que Ele fez a plena expiação, a Igreja foi a maior e continuará para sempre como a maior expressão do perfeito tabernáculo firmado no sacerdócio real e fundamental, que é Cristo - Hebreus 9:11.

O Verbo se fez carne e habitou entre nós, adentrou o tabernáculo, adentrou o templo vivo erguido e edificado com pedras vivas. Mas, assim como no Antigo Testamento havia a necessidade do candelabro para iluminar e não deixar os sacerdotes na escuridão dentro da tenda, hoje a Igreja é chamada a ser luminosa por meio da vida de seus discípulos (as). Um tabernáculo que servia para abrigar a glória e a majestade de Deus precisava de candelabros de ouro puro, ou seja, o metal mais precioso, um símbolo de realeza para iluminar conforme o modelo estabelecido no alto. Do mesmo modo, a Igreja só pode refletir por meio de uma luz que não emana de si mesma. À semelhança das virgens sábias (Mt 25), somos eternos portadores de lâmpadas e não podemos negligenciar a busca do óleo, para não terminarmos nossos dias na escuridão e na alienação.

Nosso sacerdócio aponta na direção do Rei assim como a disposição das hastes do candelabro apontavam para o centro. Na *menoráh* tradicional as lâmpadas acesas eram dispostas de um modo a dar impressão de que apenas uma única luz estava em evidência, a luz do centro. Nenhuma delas assumia um protagonismo isolado. Pois, o movimento do Espírito na história é sempre favorável a todo o corpo de Cristo e não a um segmento, discurso ou classe privilegiada. A certeza da presença de Deus conosco é um sinal que ilumina nosso caminho, a fim de que "outros" possam sair da penumbra, da alienação e escuridão existencial e espiritual e se engajar na implantação do reino da maravilhosa luz de Deus.

O "outro" na escuridão é alvo da graça que não se perde em explicações, análises e justificativas acerca do escuro (Jo 9), mas avança iluminando e resgatando os que não percebem a luz bendita que vai cercando e convidando. Chamar para a luz é também resgatar para a luz em nosso caminho para a mansão celestial. Recordemos sempre que a idéia de "mansão celestial" na célebre poesia do hino tradicional cristão é uma metáfora não de privilégio adquirido ou riqueza dos iluminados, mas de graça espaçosa e perdão sem medida! Um convite repleto de esperança para quem almeja luz no fim do túnel.

Curiosamente, o Candelabro não era moldado, mas batido a mão a partir de uma peça única de ouro que pesava em torno de cinqüenta e sete quilos. A tarefa de fazê-lo requeria muito trabalho e habilidade. Na medida em que era batido, as impurezas eram retiradas e o candelabro ia assumindo o padrão definido por Deus. Deus continua agindo da mesma maneira. Deus não deseja que as impurezas e imperfeições do pecado permaneçam em nós.

Como já frisamos, o Tabernáculo não tinha janelas e, por isso, uma boa iluminação era extremamente necessária, para tornar evidente toda a beleza da santidade de Deus. Por isso, o candelabro era bem feito, grande, não era oco, necessitava de muito trabalho por parte do artesão e de sua habilidade em moldar da maneira que Deus desejava. Nosso interior não deve ser oco, vazio. Carecemos diariamente de boa iluminação para não esconder e negar as regiões sombrias da alma. "Haja luz"! Deveria ser um clamor permanente em nossa vida. Muitos precisam de apoio e compreensão para conseguir sair do escuro e da penumbra existencial em que se encontram. Outros, já conscientes do perigo do apagão iminente, já não podem negar a sombra que se arrasta e os persegue. Todos conhecem bem sua sombra e suas regiões sombrias ou, pelo menos, deveriam ser sinceros o suficiente para assumir que nem sempre são os iluminados de plantão.

QUEM É O ARTESÃO?

Deus usa no presente um expediente muito importante, como usou no passado: a imaginação e o bom humor. Um galo, uma mula, porcos, pardais, um pouco de sal, saliva, areia, algumas lâmpadas... e a lista continua! Uma imensa variedade de personagens e até mesmo seres inanimados fazem parte do arsenal criativo de Deus para nos chamar a atenção sobre temas tão importantes do cotidiano, como é o caso do tema da luz e da escuridão. Nossa dificuldade é o empobrecimento raso, utilitarista e superficial que os conceitos de divindade, espiritualidade, iluminação e decisão assumiram nas inúmeras expressões religiosas atuais.

Quem sabe, estejamos presos na janela errada, precisando mudar de cômodo para enxergar outro jeito de ser das coisas, as pessoas, as circunstâncias, as cores e sabores da vida. Até mesmo o modo de Deus agir em nós, e através de nós, precisa ser repensado sob uma nova luz. Não somos nós que moldamos nossa vida, é obra de Deus. Mas podemos experimentar mudanças profundas e significativas quando nos submetemos às mãos do Divino oleiro. Ele, o Artista, o Design Inteligente do Universo. Nas belas e dramáticas cenas encontradas na pena do pensador chorão Jeremias (Jr 18), o Escultor de uma nova história nos convida a uma aula de arte e beleza.

"É difícil superar, pelo menos neste mundo, o hábito que tem o homem de reservar o termo belo exclusivamente àquilo que se lhe impõe como tal. Eis porque parece pelo menos prático, recomendável e necessário não se queimar num emprego teológico dos conceitos estéticos. De fato uma teologia que se serve desses conceitos, mais cedo ou mais tarde deslizará de uma estética teológica – isto é, de uma tentativa de construir uma estética em âmbito objetivo e com os métodos da teologia – para uma teologia estética, isto é, para a tentativa de entregar e vender o conteúdo teológico às convicções correntes da doutrina intra-mundana da beleza".[5]

Moldar nossa vida sob a luz do candeeiro também é um convite e imperativo presente no ensino apostólico. O texto de 2 Pedro 1.19 nos esclarece que a Palavra atendida é como uma candeia que brilha. E aquele que não atende a luz do candeeiro é como uma vela apagada, uma lâmpada queimada, um candelabro sem óleo e sem fogo! Infelizmente, há muita gente assim, não atendem e não entendem a Palavra por amar a escuridão e por não desejar sair da zona de conforto da penumbra onde jamais serão questionados e desafiados a mudar. São amantes e espectadores de sua própria voz, uma espécie de narcisismo auditivo crônico dominando o vale tenebroso de muitos corações e mentes ocas.

REPOUSARÁ SOBRE ELE O ESPÍRITO DO SENHOR

"A presença do Espírito Santo revela-se no fruto que produz na personalidade"

(Russel Shedd)

Nossa geração clama por um estilo de liderança semelhante ao princípio exposto em Isaías 11.2. Assim como Isaías e Moisés responderam satisfatoriamente ao seu contexto e a seu tempo, também precisamos de homens e mulheres de Deus comprometidos com o conselho divino e não apenas parte dele, ou aquilo que lhes convém conforme a ocasião indicar.

---

[5] BALTHASAR, Hans Von. Glória. 1, cit. P. 28.

Cada descrição de Is 11.2 nos dá uma idéia de como carecemos de mais profundidade e mais reverência, em se tratando da mordomia da nossa vocação e chamado para encontrar luz em meio as densas trevas deste mundo que jaz no maligno. Os sete elementos que compõe a descrição do ungido do Senhor trazem sérias implicações para nossa atual teologia e compreensão do papel da igreja, chamada a ser sal da terra e *luz do mundo*.

Implica ainda em rever nossa atual face, frente a Face inequívoca da graça e da misericórdia de Deus na história. Eliminar ou negligenciar qualquer destes elementos é incorrer no risco da idolatria ou de uma nova operação para confeccionar bezerros de ouro, quando somos pressionados pela demanda do exigente mercado da fé. Podemos até nos dedicar a criar estruturas e eventos para satisfazer a fome do povo por consumo rápido e fácil de bens simbólicos, com a justificativa de que o "importante é que dá certo", não perguntamos mais se "è certo?", o importante é manter o grupo entretido e a máquina funcionando sem deixar a "arrecadação cair".

SETE: AQUILO QUE É COMPLETO!

As sete faces do ungido de Deus (Is 11.2) não deixam margem para dúvida: a plenitude do governo e da vontade de Deus se revelam e se manifestam, de fato, quando não há negligência destes aspectos do princípio de governo de Deus na vida da liderança e do testemunho coerente de quem fala em nome dele. Reforçamos essa compreensão na leitura de Apocalipse: "Então, vi, no meio do trono e dos quatro seres viventes e entre os anciãos, de pé, um Cordeiro como tendo sido morto. Ele tinha sete chifres, bem como sete olhos, que são os sete Espíritos de Deus enviados por toda a terra" (Ap 5.6). Vamos prosseguir em nossa reflexão colocando em destaque alguns elementos práticos da nossa tarefa de ser luz do mundo.

Os títulos e referências bíblicas usados no Novo Testamento para Cristo vinculam sua obra e ministério às profecias do Antigo Testamento (Is 11.1-2; Gn. 49.9, etc.). O "Leão" e o "Cordeiro" são claros referenciais desta idéia. O modo como estas imagens e símbolos aparecem no texto bíblico podem ser representados de uma forma onde a rica literatura bíblica nos permite vislumbrar inúmeras aplicações práticas. Não sabemos e nunca saberemos, ao certo, o rico alcance desta simbologia, mas já nos damos por satisfeitos em poder lançar mão deste tipo de linguagem ainda que conscientes dos riscos e limitações que encontramos diante de nossa leitura e interpretação.

No texto bíblico fica demonstrado que o número sete, como número chave, exprime a totalidade, e é um indicativo da plenitude. Então, quando o texto nos fala de sete chifres (pleno poder), sete olhos (onipresença) e sete espíritos (plenitude da presença de Deus), estamos adentrando a um nível de compreensão onde não apenas a imaginação é aguçada, mas sobretudo, nota-se um apelo ao aspecto ricamente simbólico destas representações figuradas que nossa mente deve se esforçar para alcançar, como um dos propósitos esperados pelo escritor bíblico.

Com efeito, o símbolo aponta para além de si mesmo, participando ativamente daquilo que pretende informar. Não se esgota e não é o fim da idéia bíblica, é preciso ter clara tal abordagem antes de avançarmos. Sempre que possível, faremos estas observações durante nossa reflexão. Então, quando nos remetemos a figura da *menoráh*, somos convidados a pensar novamente na figura representativa do número sete. Portanto, doravante, seguiremos este pressuposto em nossa abordagem do sentido e aplicação das lições da *menoráh* e sua relação com os aspectos específicos da profecia de Isaías. Deste ambiente bíblico repleto de símbolos é que avançaremos daqui para frente.

CAPITULO 4

ILUMINAÇÃO: PROFUNDIDADE E COERÊNCIA

Alma, segundo Tomás de Aquino, é simplesmente uma forma, a forma dos viventes. Uma forma muito especial (daí recebe um nome especial, mas uma forma). Desse modo, pode-se falar em alma de um vegetal, em alma de uma formiga ou de um cão e em alma humana (no caso, uma alma espiritual).

Assim, entendemos que a alma (como, aliás, todas as formas substanciais) é um princípio de composição substancial dos viventes. Ou melhor, um co-princípio (em intrínseca união com o outro princípio: a matéria). É pela alma que se constitui e se integra o vivente enquanto tal, e ela é também a fonte primeira de seu agir.

O ser humano é a criatura, como são criaturas também os outros seres do mundo; ele é chamado para viver a experiência da comunhão com Deus e com as outras criaturas.

Assim como uma lâmpada apagada ou queimada não serve para nada, do mesmo modo uma mente infrutífera e apática torna-se um elemento destrutivo para o próprio ser humano. Sua forma nega seu conteúdo.

Por outro lado, uma luz excessivamente forte, com um certo grau de luminosidade exagerado em determinado ambiente, pode ser capaz de turvar e embaçar a visão e, até mesmo, impedir de enxergarmos um palmo a nossa frente.

A força da luz (claridade, luminosidade) diante da nossa capacidade visual é uma realidade presente em quase todas as atividades humanas. A valorização da luz sobre as nossas tarefas diárias nos dão uma boa noção da importância de uma boa luminosidade, seja em casa, no trabalho, no escritório, na empresa, na escola, na rua, na igreja, no trânsito etc. Somente podemos refletir a glória de Deus e ser luz para o mundo, se formos iluminados por Cristo.

Durante Seu ministério público, Jesus advertiu sobre a prontidão e a vigilância dos discípulos para não serem surpreendidos por um "apagão" inesperado, por uma escuridão escravizadora e capaz de alienar a vida na celebração da plenitude ao lado Daquele que é o portador da verdadeira clareza e luminosidade para um viver repleto de beleza e possibilidades: *"... no entanto, as prudentes, além das lâmpadas, levaram azeite nas vasilhas"* (Mt.25.4). O cuidado com a lâmpada e, conseqüentemente, a mordomia necessária para andar e permanecer na luz, é parte integrante da identidade do seguidor de Jesus.

A afirmação de Mt 5.14: *"Vós sois a luz do mundo..." n*ão é uma recomendação, não é um alerta, não é um incentivo, mas uma qualificação. Jesus não estava dando um conselho. O sentido da frase encontra-se no imperativo e é uma das afirmações categóricas do ensino e da ética do seguimento a Cristo. O texto não deixa margem para dúvida: "Vós *sois*" (grifo nosso). É uma realidade ontológica, um ser ou não ser inescapável.

A teologia joanina também recomenda a todos para uma atenção redobrada aos perigos iminentes da escuridão, provocados pela falta de amor e perdão, do julgamento precipitado e do distanciamento do irmão e da comunidade em nome dos próprios interesses, preconceitos e legalismo religioso. O *"andar na luz"* (1Jo 1.7) significa viver uma vida de santidade diante do Senhor e uns dos outros; viver uma vida de permanente separação do mundo.

Infelizmente, o embotamento teológico atingiu boa parte da nossa pregação hoje, tornando-se um arremedo de religiosidade barata, de uma graça barata sem valor e sem poder transformador na sociedade. A obra da cruz e a graça foram diluídas no empobrecimento hermenêutico. Há um enorme fosso entre o legado bíblico teológico da igreja primitiva e a reforma protestante, em claro contraste com as mais diversas e estranhas praticas observadas no cenário evangélico atual.

Com efeito, o objetivo da luz é brilhar e tal brilho é capaz de conduzir outros a reconhecer a glória do Pai. Conforme Mt 5.16 e 1Pe 2.12, podemos perceber a clara noção de testemunho e atos concretos de piedade no seio da comunidade (não crentes), como uma evidência positiva do que significa uma luz brilhando com intensidade a ponto de gerar convencimento espiritual em mentes e corações outrora estranhos a boa nova do evangelho.

A "luz" e as "trevas" são mutuamente excludentes. Nada que tenha alguma coisa relacionada as trevas pode ter alguma coisa a ver com Deus, pois "Deus é luz" (1Jo 1.5). O projeto de vida do discípulo de Cristo inclui uma luz brilhante por onde quer que ele vá. Brilhando por Jesus não deixa dúvidas sobre quem Ele é, e quais são os imperativos do reino de Deus. Ainda no ambiente do sermão do monte, nos defrontamos com outra declaração paradigmática de Jesus:

"São os olhos a lâmpada do corpo. Se os teus olhos forem bons, todo o teu corpo será muminoso; se porém, os teus olhos forem maus, todo o teu corpo estará em trevas. Portanto, caso a luz que em ti há sejam trevas, que grandes trevas serão!" (Mt 6.22-23).

O convite ao seguimento exige bons olhos e luminosidade. Caso contrário, os passos serão incertos e conduzirão a um caminho de trevas e desespero, como bem ressalta o ensino do Mestre! Mas, vamos examinar melhor o texto em questão.

Talvez o maior obstáculo para assumir a cruz e seguir a Cristo seja assumir o custo desta decisão sem um cálculo adequado e sóbrio. Dietrich Bonhoefer já postulou tal fato em sua famosa obra sobre o discipulado. Qual o preço a ser pago? Qual o custo desta decisão? Quais as implicações em assumir a mensagem da cruz e até morrer proclamando esta mensagem?

A primeira coisa a ser dita, com base no texto supracitado, é o modo como Jesus nos convida a encarar tal desafio: *olhar* para a vida de um modo diferente. Uma das possíveis traduções da expressão "olhos bons" seria um convite a simplicidade de vida. Em outras palavras, Jesus está nos dizendo que, se nossa vida não for dirigida por um único prisma, uma única prioridade, uma fidelidade irrevogável e irremovível, provavelmente, um olhar simples, *uma visão*, navegaremos pela vida sem um rumo certo e sem uma clareza necessária para entender nosso propósito existencial.

"Se os teus olhos forem bons" indica a necessária condição do discípulo se despir e se livrar do peso e dos apelos comuns a todo ser humano, em busca de uma luz para trilhar sua história de vida com significado. "Se os teus olhos forem bons" suscita a idéia do entendimento como guardião de um viver simples. "Se os teus olhos forem bons" é um convite a um olhar simples (não simplista) acerca da vida e como de fato ela é!

É preciso simplificar. A vida simples é a lâmpada que dá o entendimento, a luz que ilumina o caminho, a coluna de fogo que acompanha os difíceis e sinuosos becos e vielas de uma vida repleta de desertos, sonhos, lutas e possibilidades. A vida simples é a nuvem protetora e refrescante norteando uma visão, uma caminhada, uma única direção.

"Passo pela vida como um transeunte a caminho da eternidade, feito à imagem de Deus, mas com essa imagem aviltada, necessitando que se lhe ensine a meditar, adorar, pensar". (Donald Coggan, Arcebispo de Cantuária).

De fato, a superficialidade é a maldição de nosso tempo. A doutrina da satisfação instantânea é, antes de tudo, um problema espiritual. A necessidade urgente hoje não é por um maior número de pessoas inteligentes, ou dotadas, mas de pessoas profundas.[6]

Precisamos da "lâmpada" do entendimento. Um entendimento gerador de paz e segurança na medida certa sempre auxilia a não perder de vista qual é o caminho certo a trilhar. O entendimento é aquele esforço aglutinador de luminosidade suficiente para não ficarmos reféns da indecisão e da visão turvada enganadora. O entendimento é a confirmação de que a vida simples é a única resposta para motivar a caminhada. Não há duas possibilidades de vida: caminhamos na luz ou adentramos a escuridão.

Do mesmo modo que a menoráh apresentava sete lâmpadas acesas e, cada uma delas, cumprindo seu papel ajudava a iluminar o ambiente sagrado da tenda, observamos que o ungido de Deus apresentava um conjunto de virtudes manifesto em sua personalidade ministerial capacitando-o a cumprir sua tarefa. Comentando o texto de Isaias 11.2. Russel Shedd nos convida a perceber o significado de cada uma das características do carisma messiânico.

Espírito do Senhor: Autoridade, Unção e Revestimento

Sabedoria: o poder de discernir a natureza das coisas

Entendimento: o poder de diferenciar entre as coisas

---

6   FOSTER, Richard. Celebração da Disciplina. São Paulo: Vida, 1978/1983

Conselho: o dom de formular conclusões certas

Fortaleza: a energia necessária de pôr em prática as conclusões

Conhecimento: fruto da comunhão com Deus e Sua Palavra

Temor do Senhor: Reverência e tremor submisso

Diante da grande tarefa e dos desafios que lhe estavam propostos, o Senhor Jesus jamais se afastou destas mesmas características e atributos assinalados por Isaías. Num estilo de vida simples, seus seguidores foram chamados a se colocarem sob o jugo deste carisma messiânico. Os ajustes e conflitos para os discípulos entenderem e se submeterem a este ideal e sonho messiânico fica bastante claro ao leitor atento dos evangelhos. É perfeitamente perceptível o quão difícil foi para os primeiros discípulos de Jesus assumirem esta investidura de poder e autoridade totalmente voltada para o perfil de um Servo e do serviço conforme já anunciado por Isaías. O modelo de consumo disponível no mercado da fé religiosa não combinava muito com as expectativas daquela geração sonhadora de 12 homens dispostos a mudar o mundo a partir de uma agenda mais ou menos pronta e definida em suas mentes e corações.

O Senhor Jesus os convida para uma caminhada sob um novo jugo e, um primeiro desafio que também continua sendo nosso grande desafio até hoje era simplificar a vida. Assumir um estilo de vida simples é uma tarefa que requer muito entendimento. Qualquer pessoa que pretende assumir uma postura de seguidor de Jesus mais cedo ou mais tarde vai ser conduzida a esta questão fundamental da vida simples.

Quando olhamos para a história da igreja, especialmente entre os primeiros cristãos, nos damos conta da urgência do tema na agenda da incipiente igreja cristã no difícil terreno da perseguição política e religiosa no império romano. O cuidado de si mesmo era um elemento fundamental na rica herança teológica da tradição cristã. Não era uma cruzada para encontrar uma boa auto-imagem, um sentido de bem estar integral, mas sobretudo uma intensa busca para agradar Aquele que chamava a caminhar a trilha do discipulado.

Quando mencionamos a tradição queremos deixar claro a noção wesleyana de tradição, nos remetendo aos primeiros três séculos de nossa era. Colocamos em relevo, por exemplo, o pensamento de Gregório de Nissa (sec. IV), a fim de ilustração, onde observamos preconizada uma teologia da vida espiritual enquanto uma perene inquietação de se caminhar rumo à uma compreensão mais ampla da idéia de conversão. Conversão como base de um cuidado integral com o ser. Mais que uma experiência, a conversão é uma vivência de quem esta a caminho de um ininterrupto desejo de se deixar seduzir pelo Caminho através do silêncio, do deserto, da ascese, da iluminação e da contemplação. Líderes deste calibre eram forjados na fornalha do compromisso com mudanças de longo prazo, com um alto preço a ser pago na radicalidade do seguimento a Cristo.

Conhecer a si mesmo como primeiro passo honesto em busca do entendimento verdadeiro da vida e de si mesmo diante de Deus. Um conhecimento desta natureza e magnitude era capaz de reconhecer a finitude diante da imensidão da graça infinita. Assim surgia uma mentalidade cristã onde a confiança cega nas competências e no êxito nas tarefas realizadas com esmero sucumbiam face a luminiosa presença de Deus e do agir do Espírito Santo e, desse modo, o "sucesso" em nome do Senhor era apenas honrar o Senhor. Apenas isso. O alvo era sair de cena, diminuir para o Senhor dominar o cenário completo da vida.

O conhecer a si mesmo impõe um abandono dos exageros e o trilhar a via média (equilíbrio) em tudo. Mas o que é a simplicidade afinal? Simplicidade (simplicitas, etimologicamente "sem plicado", i.e., "sem dobras sobre si-mesmo"), nas palavras do escritor Jean -Yves Leloup, pode ser descrita como um estado de clareza da inteligência que "vê" as coisas tais quais elas são, sem ficar projetando memórias, sem se perder em idéias e ideologias. Uma "consciência-espelho límpida, calma e saudável...".

O complicado, por conseqüência, é o extremo oposto - um sintoma da falta desta inteligência calma e tranqüila. E quando ela não se encontra no íntimo do humano, gradualmente se instalam a obscuridade, dobraduras da personalidade, em-si-mesmamento não tratável enfermante.

É muito comum ouvir em algumas reuniões de empresas, igrejas, agremiações, escolas, famílias, ong's, etc., a seguinte expressão: "tá complicado". Na verdade, é preciso sempre descomplicar. No fundo, buscamos a simplicidade, mas não queremos o simplismo que carece de cuidado e conhecimento. Tá complicado? Então simplifiquemos! Cuidado e conhecimento, eis aí uma boa lâmpada para começar a descomplicar. Iluminação e decisão para mudar! É preciso uma visão, unicidade, harmonia entre o que se encontra "dentro" e o que se revela "por fora". Não é perfeição enquanto ausência de erro, perfeccionismo. Ao contrário, é a busca sincera e honesta por coerência como estilo de vida.

NA FRONTEIRA

"Ai de mim"... ou "Não sei falar", nos parecem expressões de gente desconfiada e com sintomas de medo e insegurança! Porém, de um modo estranho e fascinante, elas fazem parte do vocabulário de figuras públicas e liderança revolucionária há muito mais tempo do que imaginamos.

Gosto do modo como o apóstolo Tiago, por exemplo, nos fala do profeta Elias em sua impressionante e conturbada missão de proclamar juízo divino em sua geração. Sem qualquer protocolo literário ou etiqueta teológica Elias é apresentado como um homem comum e, a descrição não para por aí, um homem sujeito as paixões humanas tal qual nós somos! E este mesmo indivíduo é alguém capaz de orar com ousadia e fé e mudar todo um cenário complexo e aparentemente intocável no que tange ao seu desfecho histórico. Mas nem mesmo o clima, a temperatura atmosférica e a natureza resistiram a sua decisão de orar!

Outra personagem desafiadora é o profeta João Batista. Ele também não apresenta credenciais que impressionam. O evangelho simplesmente diz que "houve um homem enviado por Deus cujo nome era João". Nada mais modesto, simples e até certo ponto desmotivador se levarmos em conta a atual escalada de títulos clericais tão em voga hoje! Outro ingrediente neste cenário é o contexto de sua atuação e desfecho histórico: um deserto, um curto período para pregar e um final de carreira selado com uma decapitação! Realmente não é um currículo que muitos desejam hoje em dia não é mesmo?

ILUMINAÇÃO - EM BUSCA DE FUNDAMENTO PRÁTICO

A famosa história de Diógenes de Sinope, também chamado de Diógenes, o Cínico, sempre foi um dos exemplos corriqueiros vulgarmente utilizados na tentativa de abordar o tema da vida prática em termos de sua credibilidade e autenticidade. Não é novidade alguma dizer que em alguns setores da sociedade o cinismo ainda "ilumina" (de modo consciente ou inconsciente) certo jeito de ver a vida e de se defender da acusação cotidiana do sentimento de "vazio" e da ausência de propósito e significado existencial. Vejamos a seguir um trecho sobre Diógenes e sua filosofia de vida que nos ajudara a compreender a origem do cinismo e sua vitalidade ainda insistente na cultura contemporânea:

Diógenes de Sinope (em grego antigo: Διογένης ὁ Σινωπεύς; Sinope, 404 ou 412 a.C.1 – Corinto, c. 323 a.C.2), também conhecido como Diógenes, o Cínico, foi um filósofo da Grécia Antiga. Os detalhes de sua vida são conhecidos através de anedotas (chreia), especialmente as reunidas por Diógenes Laércio em sua obra *Vidas e Opiniões de Filósofos Eminentes*.

Diógenes de Sinope foi exilado de sua cidade natal e se mudou para Atenas, onde teria se tornado um discípulo de Antístenes, antigo pupilo de Sócrates. Tornou-se um mendigo que habitava as ruas de Atenas, fazendo da pobreza extrema uma virtude; diz-se que teria vivido num grande barril, no lugar de uma casa, e perambulava pelas ruas carregando uma lamparina, durante o dia, alegando estar procurando por um homem honesto. Eventualmente se estabeleceu em Corinto, onde continuou a buscar o ideal cínico da autossuficiência: uma vida que fosse natural e não dependesse das luxúrias da civilização. Por acreditar que a virtude era melhor revelada na ação e não na teoria, sua vida consistiu duma campanha incansável para desbancar as instituições e valores sociais do que ele via como uma sociedade corrupta.

Muitas anedotas sobre Diógenes referem-se ao seu comportamento semelhante ao de um cão, e seu elogio às virtudes dos cães. Não é sabido se o filósofo se considerava insultado pelo epíteto "canino" e fez dele uma virtude, ou se ele assumiu sozinho a temática do cão para si. Os modernos termos "cínico" e "cinismo" derivam da palavra grega "kynikos", a forma adjetiva de "kynon", que significa "cão". Diógenes acreditava que os humanos viviam artificialmente de maneira hipócrita e poderiam ter proveito ao estudar o cão. Este animal é capaz de realizar as suas funções corporais naturais em público sem constrangimento, comerá qualquer coisa, e não fará estardalhaço sobre em que lugar dormir. Os cães, como qualquer animal, vivem o presente sem ansiedade e não possuem as pretensões da filosofia abstrata. Somando-se ainda a estas virtudes, estes animais aprendem instintivamente quem é amigo e quem é inimigo. Diferentemente dos humanos, que enganam e são enganados uns pelos outros, os cães reagem com honestidade frente à verdade.

A associação de Diógenes com os cães foi rememorada pelos Coríntios, que erigiram em sua memória um pilar sobre o qual descansa um cão entalhado em mármore de Paros.[7]

Se por um lado não podemos ser ingênuos, por outro lado não podemos seguir refens do cinismo como modo de apaziguar nossa mente nas turbulentas águas do cotidiano repleto de decisões a serem tomadas.

"Nós começamos simples. Como crianças, cremos em tudo o que nos dizem. À medida que passamos a ser jovens e depois adultos, a vida vai se tornando mais complexa. Suregem perguntas para as quais não temos respostas. Tornamo-nos incrédulos. Enquanto o conhecimento vai ocupando lugar da ignorância, a dúvida se infiltra na certeza. Não estamos mais convictos. A criança dentro de n´so cresce. Em lugar de acreditar em tudo, começamos a duvidar de tudo. Nossa jornada nops levou da ingenuidade para o cinismo"[8].

São nossas decisões que nos definem, em última instância, no seio da comunidade que pertencemos e laboramos como agentes de fé e esperança. O "interruptor" não funciona no modo automático, precisa ser acionado. Daí o estarmos sempre diante das inescapáveis e intrincadas situações decisivas da vida. O que fazer frente a este fato? Seria a senda do cinismo o único roteiro disponível?

Muita gente boa e com potencial de desenvolvimento abandona as trincheiras do serviço cristão e da vida saudável quando sucumbe as seduções do cinismo como via média. Aparentemente, o cinismo, insinua fornecer instrumentos praticos e autênticos para uma navegação segura capaz de iluminar a difícil e sinuosa estrada da vida. Mas, ao longo do percurso, vamos nos dando conta que a promessa de "esclarecer" não se cumpre e o fastio interior somado ao desencanto se instalam e enfermam toda estrutura psiquica

---

[7] http://pt.wikipedia.org/wiki/Diogenes_de_Sinope.
[8] WONG, David W. F. SABEDORIA PASTORAL (Trilhando o caminho entre a ingenuidade e o cinismo). S.J.Campos. Descoberta/Haggai. 1999. p.07.

afetando nossa realidade física e sensorial. Nesse ponto, nossa visão e percepção da vida ficam turvadas e definham como uma flor murcha depois de um período de intensa beleza e perfume arrebatador.

Um sintoma desta realidade às vezes se apresenta na tentativa de tornar tudo um motivo de crítica ácida ou de piada de mal gosto. Já notou gente assim ao seu redor? Você se encontra assim últimamente?

Aos poucos, um arremedo de vida cristã começa a lançar em face o saldo devedor. As sujeiras debaixo do tapete levantam uma poeira que se transforma em nuvem de insegurança e medo. Como evitar este cenário traiçoeiro?

Em primeiro lugar, precisamos encontrar um equilíbrio entre aquilo que sentimos e pensamos (o que se encontra dentro de nós) e a realidade na qual estamos envolvidos e comprometidos (o contexto externo onde as vivências da fé são experimentadas e colocadas em prática). Em segundo lugar, ter a clareza necessária para perceber que a vida espiritual (no sentido mais amplo das potencialidades humanas) precisa estar submissa ao senhorio de Cristo através da ação do Espírito de Deus iluminando nosso cotidiano repleto de escuridão e dúvidas. Somente "o conceito de Espírito é o poder mediador que supera o conflito entre 'fora' e 'dentro' "[9]. Não há meio termo.

Dependendo da tradição a qual nos submetemos e fomos educados ao longo do tempo, seremos devedores de Tertuliano ou de Justino. Para os que se encontram na primeira condição a iluminação é uma condição de quem recebe o esclarecimento por meio de uma ação externa em termos de uma "teologia da Palavra de Deus que vem a nós de fora, coloca-se na nossa frente e nos julga, de tal modo que a aceitamos sob a autoridade das experiências reveladoras dos profetas e apóstolos"[10].

9 TILLICH, P. Perspectivas da Teologia Protestante Nos Seculos XIX e XX, SP. Aste, 1986, p. 45.
10 TILLICH, P. Op. cit., p.43.

Já para os que estão no outro lado, no extremo oposto da herança justiniana, a iluminação advem de uma experiência alinhada a tradição mística, como por exemplo, o "pietismo", um movimento assim denominado como expressão de uma reação ao exagero racionalista da ortodoxia protestante do século XVI cuja ênfase repousa na experiência interior, no sentimento de estar tomado pelo poder do Espírito Santo. Contudo, por mais estranho que pareça, o racionalismo não é o oposto do misticismo, mas uma outra face da mesma moeda!

"O conceito de Espírito sintetiza de modo supremo a Palavra de Deus que vem de fora e a experiência que ocorre dentro de nós. Tudo isso foi uma digressão, mas quando o teólogo sistemático ensina história, ele tem que expressar o que pensa das coisas. Não pode se limitar a enumerar fatos como como se estivesse seguindo um manual. Vocês podem fazer este tipo de estudo por conta própria. O problema é a diferença entre teologia da Palavra que vem de fora, e a teologia da experiência interior, que se chama em geral, mas erradamente, de 'Palavra interior'. Não é um termo bom. 'Luz interior' seria melhor. Falamos, na terminologia moderna, de 'experiência existencial'. A questão é que essas duas coisas não são mutuamente exclusivas"[11].

O que tudo isso pode nos ensinar?

OS "PÉS" E O "CAMINHO" EM QUE ANDAMOS

Trocando em "miúdos", não importa muito, ao final das contas, se você se define como um cristão tradicional ou pentecostal, mais afeiçoado a um culto regado com uma diversidade de cânticos congregacionais e ritmos modernos ou se o seu paladar litúrgico é mais próximo da hinologia clássica protestante e da oração silênciosa, você jamais irá fugir da condição inescapável de um peregrino e do constante anseio pela luminosidade ao longo do caminho.

11 TILLICH, P. p. 44-45.

É preciso superar tal dicotomia na nossa atual compreensão em busca de uma espiritualidade sadia comprometida com a luz da razão, da verdade, da Palavra e do Espírito. Não existem razões particulares autônomas ou uma espécie de revelação especial restrita a alguns iluminados de plantão, capazes de superar ou substituir o incrível poder do compromisso de estar debaixo da Luz e da poderosa influência do Espírito de Deus. Aqueles que assim procederam e se deixaram lapidar pelo Artífice Divino não tiveram suas capacidades mentais e intelectuais diminuídas ou distorcidas, ao contrário, potencializaram até onde podiam os atributos da psiquê humana (reflexão, imaginação, intuição, decisão, etc.) e se tornaram agentes construtores de uma sociedade mais justa, humana e alinhada aos propósitos do reino de Deus.

Desde o início da criação, homem e mulher, receberam o poder de adentrar a escuridão inspirados na Palavra que transforma caos em ordem. Quando negligenciamos tal comissionamento nos tornamos cúmplices das obras das trevas. Foi exatamente isso que o evangelista João denúnciou do começo ao fim de seu evangelho (Jo 1.4-5, 9; 3.1-2, 19-21; 8.12; 9.4-5;19.38) .

Nosso legado como mordomos da luz, sinalizados aqui por meio das mais variadas expressões simbólicas advindas da experiência de homens como Moisés, Isaías, João e da rica literatura de peregrinação e martírio encontradas em Hebreus e Apocalipse, não podem deixar qualquer sombra de dúvida: precisamos de iluminação e também precisamos brilhar num mundo em trevas.

SOBRE A SÉRIE "CRER & PENSAR"

Alegro-me com o surgir da Série "Crer & Pensar", de autoria do Reverendo Hélerson Alves Nogueira.

Destaca-se nesta série duas ideias fundamentais: "Metáforas do Caminho" e "Metáforas de Iluminação".

São textos inspiradores e edificantes, que ajudarão no aprofundamento de nossos conhecimentos e do nosso relacionamento com o Senhor. Em especial, eles contribuirão com o desenvolvimento da espiritualidade cristã do pastoreio, no contexto do serviço ministerial e também no âmbito de pastorear pastores.

Conheço o Reverendo Hélerson desde pequenino, acompanhando o seu crescimento, formação e início do seu ministério, além do interesse específico na prática do "Pastoreio de Pastores". Estivemos juntos em alguns dos Seminários realizados por David Kornfield e sua equipe, idealizadores e implantadores deste modelo, através do Mapi/Sepal e da Aliança Brasileira de Pastoreio de Pastores (ABPP).

Tenho a vivência de mais de 50 anos de ministério pastoral, dos quais 37 anos como bispo, e reconheço como fundamental o cuidado e a preocupação com o ministério pastoral e a sua família, seus relacionamentos, o cuidado consigo mesmo e a sua interação na comunidade da fé e na sociedade. Mais do que o "modo de fazer", o "modo de ser" do pastoreio é mais urgente e necessário para o amadurecimento, aprofundamento e a vivência ministerial.

Creio que o "Pastoreio de Pastores e Pastoras" é a resposta que o Senhor providenciou para dar mais sustentação ao ministério pastoral.

O Pastor Hélerson destaca-se pelo seu entusiasmo e empenho na área do "Pastoreio", e tem sido um excelente estimulador, ministrador e líder em sua comunidade local, no contexto metodista regional e também em nossa nação.

Que a presença do Senhor em sua vida e na sua família continue a fortalecê-lo, enriquecê-lo e a usá-lo! Com alegria, contemplo o "resplendor" desse ministério através da vida do Pastor Hélerson na série "Crer & Pensar".

Nelson Luiz Campos Leite
Bispo Honorário da Igreja Metodista do Brasil